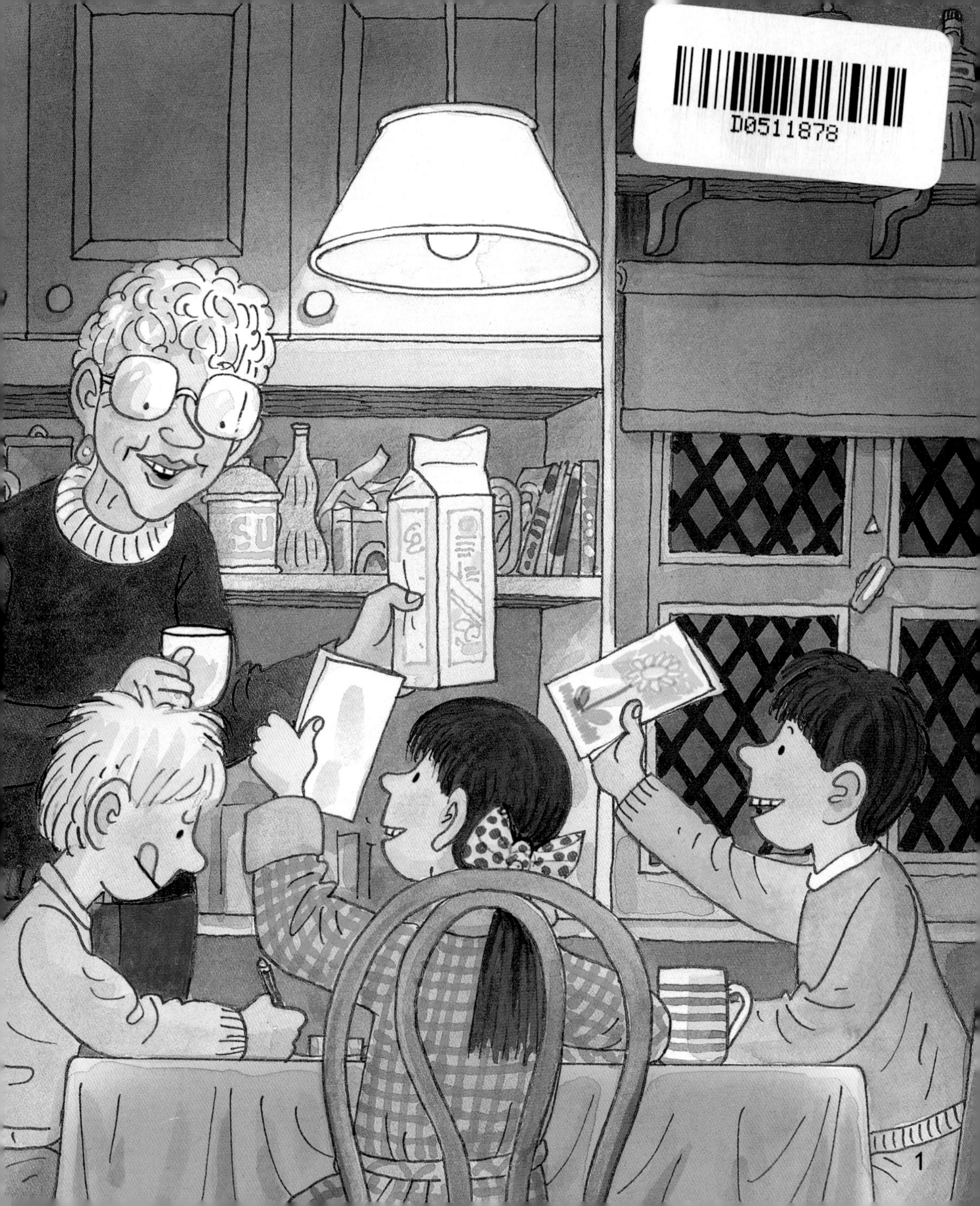
SU

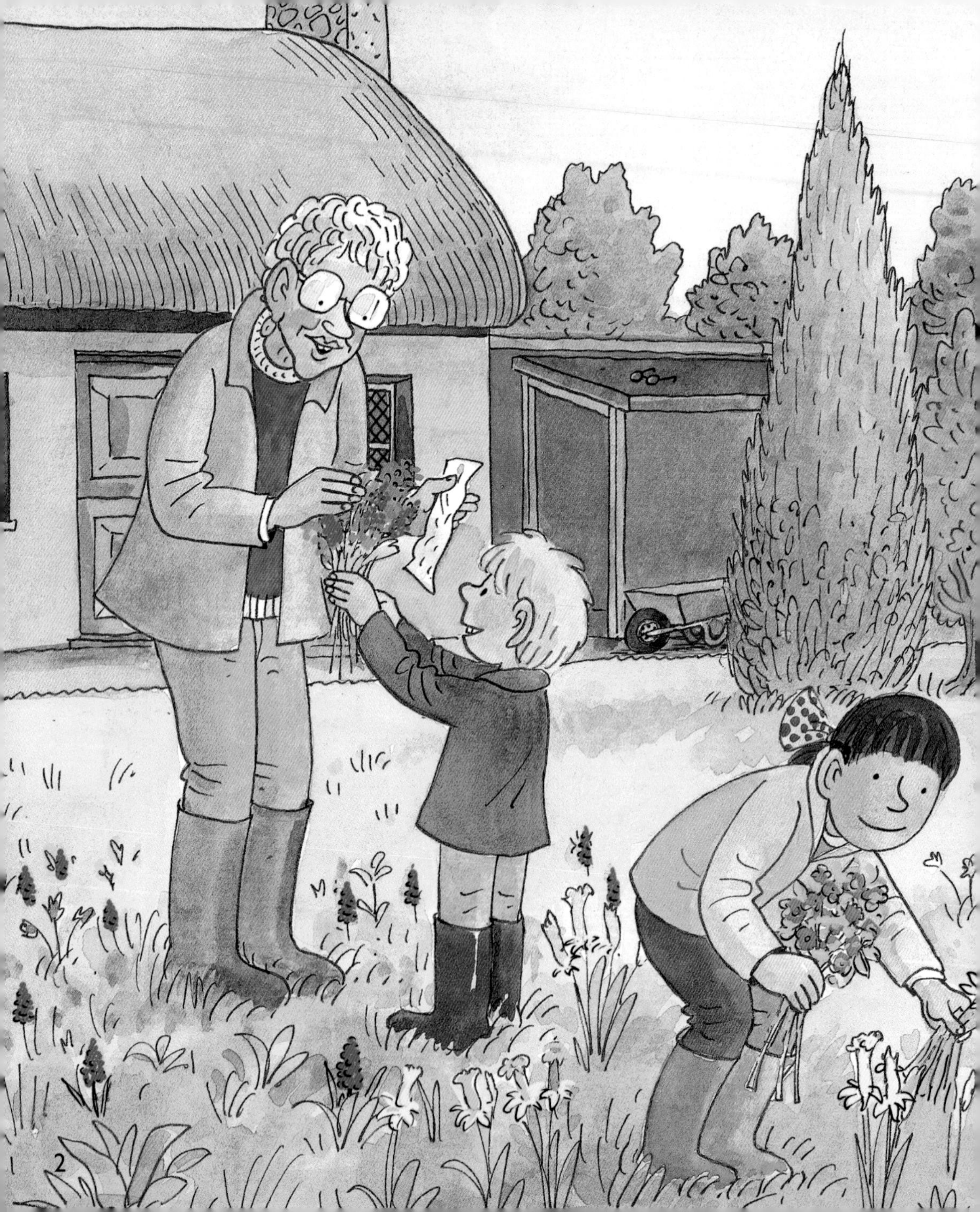

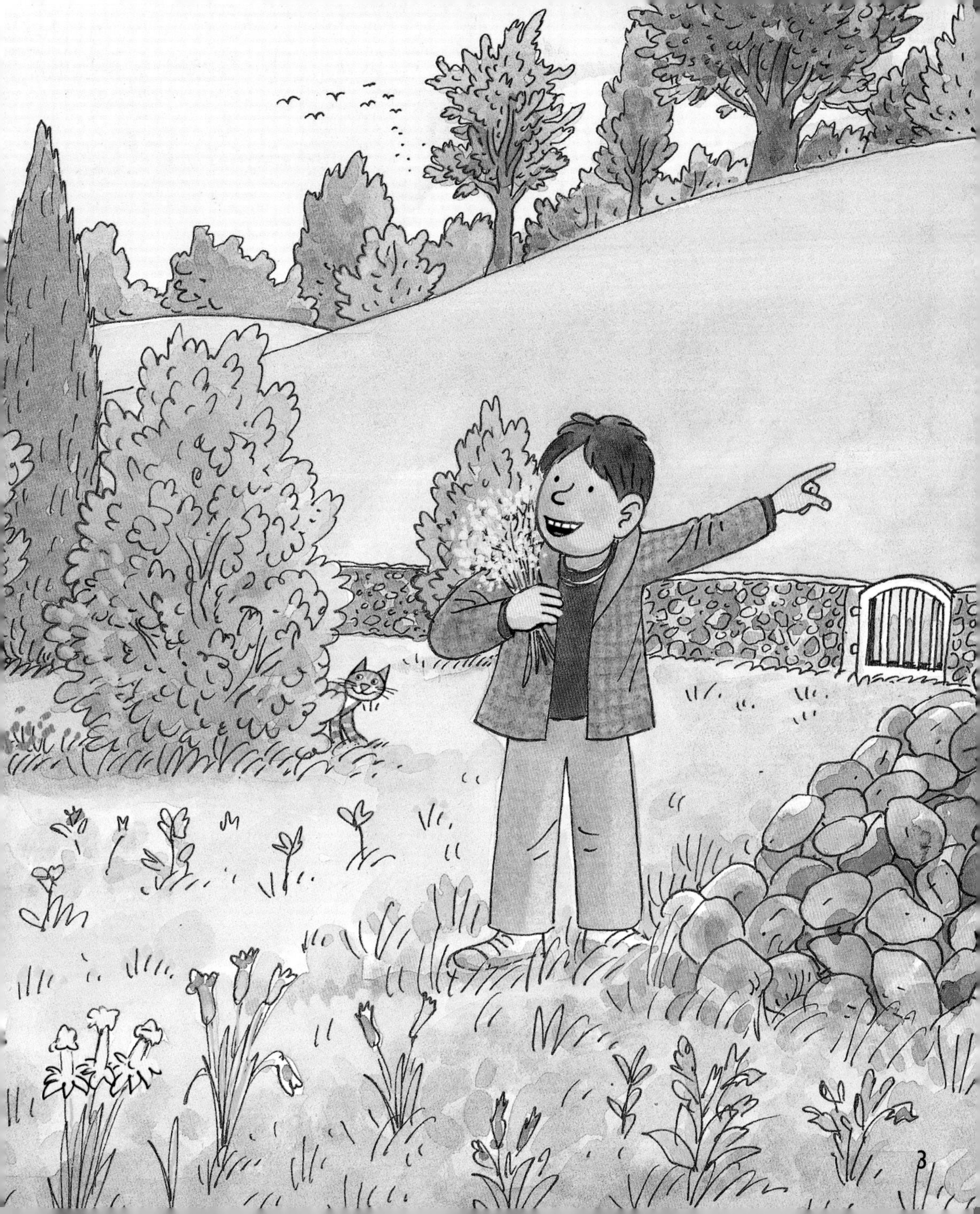

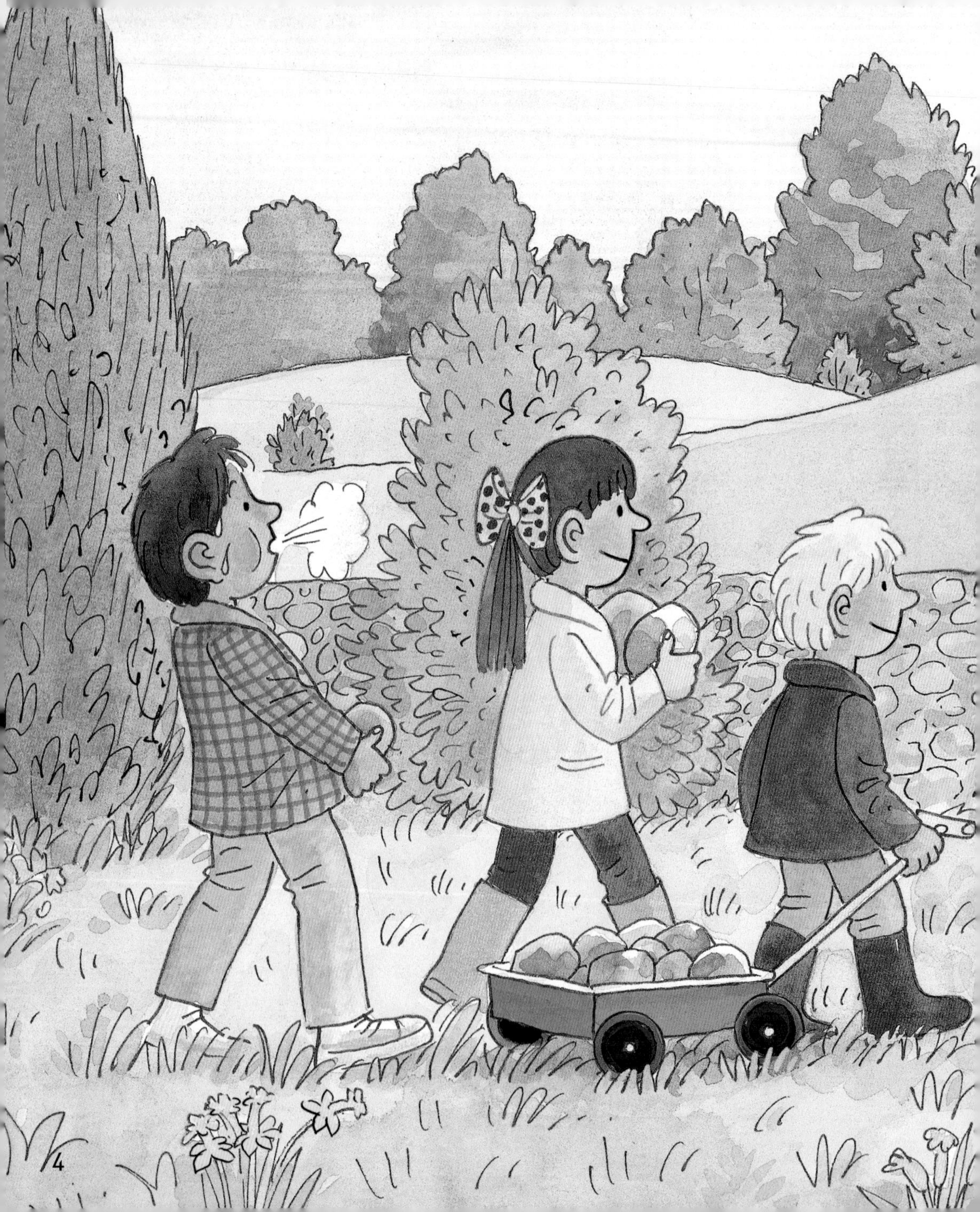

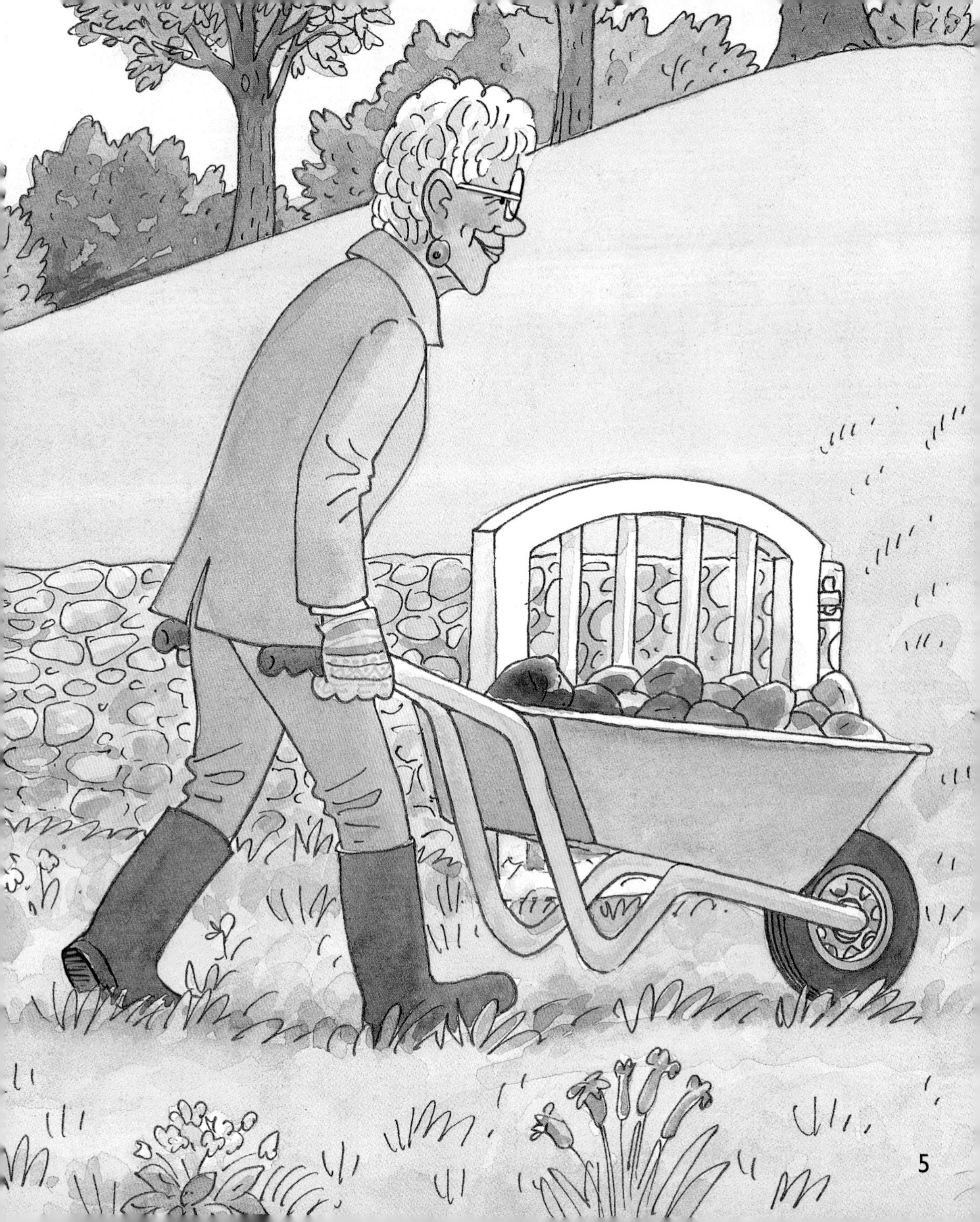

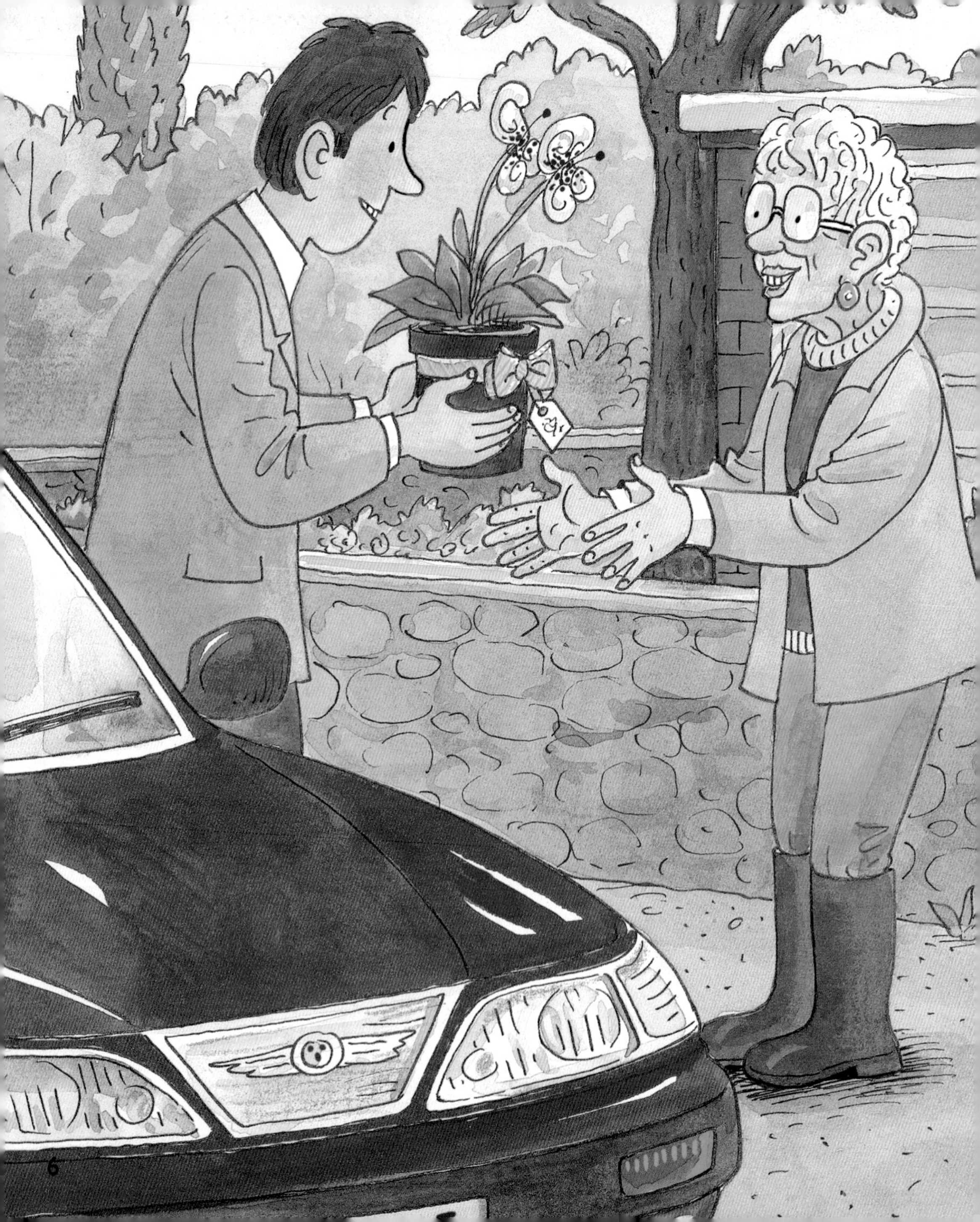

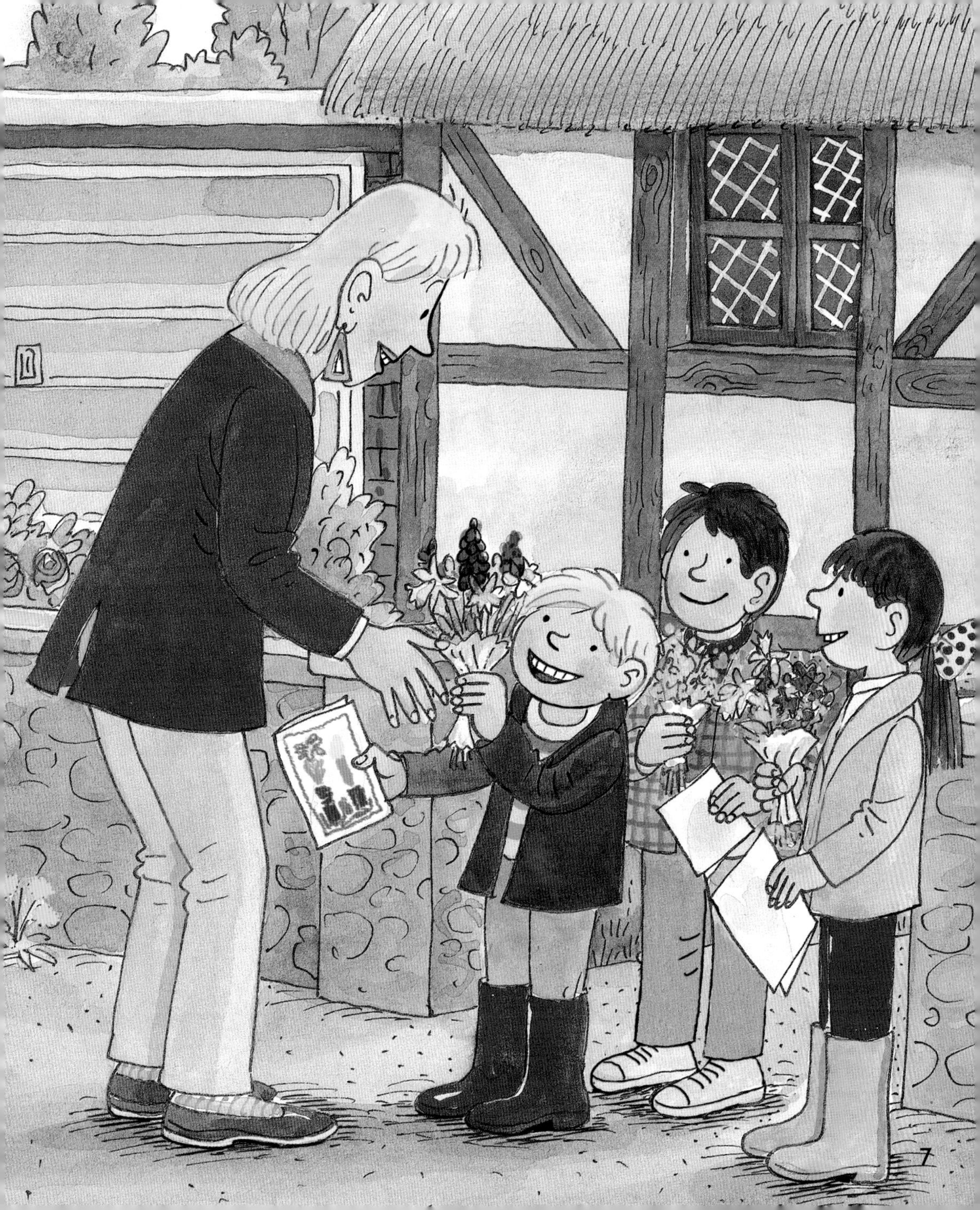

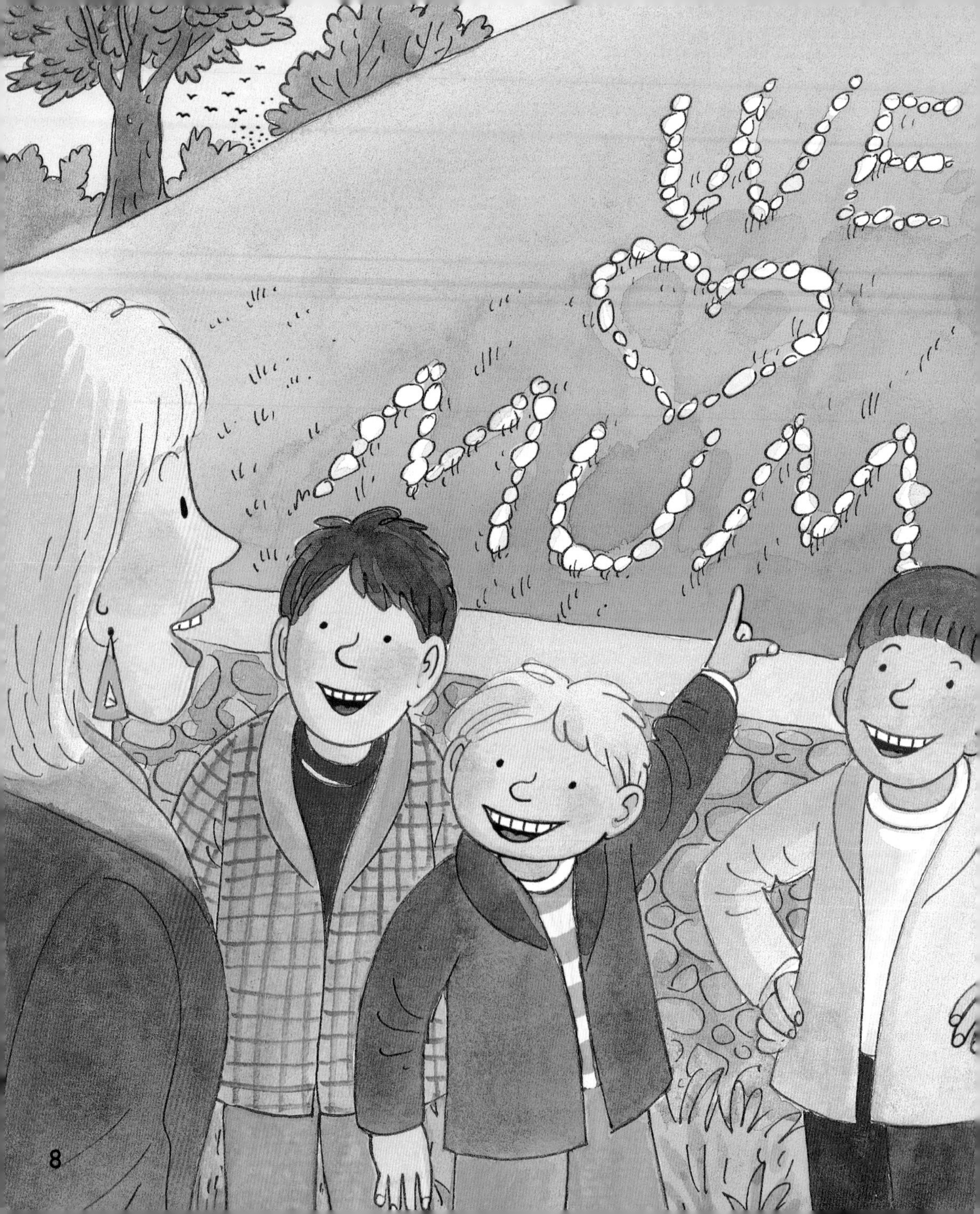
WE
MUM